colección
El zoo de las letras

Juega con la

C

(ce, ci)

La cebra Jacinta

Dibujos
Tría 3:
Horacio Elena
Mabel Piérola
Francesc Rovira

Cuento
Beatriz Doumerc

La cebra Jacinta
se cepilla la cola
y se pone una cinta.
Coge una cesta
y va hacia el huerto
cercano.

3

Con su cesta y su preciosa cinta,
Jacinta camina mirando el cielo.
Desde el suelo, el ciempiés Cirilo le dice:
—¡Qué haces, Jacinta! Por poco me pisas...

El ciervo Celestino aparece
detrás de una cerca.
—¿Dónde vas con esa cesta
y esa cinta? —le pregunta
a la cebra.
—Voy al huerto —dice Jacinta.

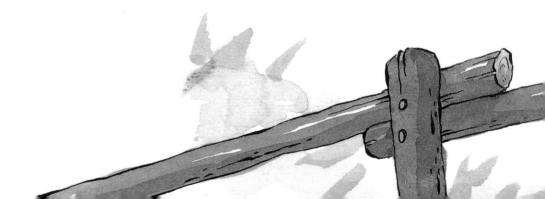

En el huerto crecen cebollas, acelgas y coles.
Y hay cerezas y ciruelas de varios colores.
La cebra Jacinta va llenando su cesta despacio,
y con la cesta llena,
hace el camino de vuelta.

Pero... ¿qué sucede?
¡Las ciruelas se pelean en la cesta!
—¡Yo soy la más dulce! —dice
la ciruela verde.
—¡No, eres la más ácida!
—dice la ciruela morada.
—¡Silencio! —dice Jacinta.
Pero las ciruelas
no se callan.

¡Qué vocerío!
Las cebollas empiezan a llorar
y unas cerezas se escapan de la cesta...
Pero Jacinta no pierde la paciencia.

La cebra llega a su casa y entra en la cocina.
En la alacena está la cigarra Ceci,
que vive en una caja de cerillas vacía.
—Ceci, por favor, ¡canta una canción!
—le dice Jacinta.

La cigarra obedece y canta
una preciosa canción.
Entonces, ¡por fin!, las cebollas,
las cerezas y las ciruelas
guardan silencio
y escuchan con atención.

◄ ¿Con qué llena su cesta la cebra Jacinta?

◄ ¿Quiénes se pelean en la cesta?

◄ ¿Quién canta una canción al final del cuento?

◄ ¿Has visto alguna vez a alguien cortar una cebolla?

Cuando se corta una cebolla pasa algo muy curioso: ¡a la persona que lo hace a veces le lloran los ojos!

Si quieres comprobarlo, pídele a papá, a mamá o a algún otro mayor que haga la prueba. ¡Jamás la hagas tú solo, porque los cuchillos son muy peligrosos!

Objetivos:

Comprender lo que se lee.
Narrar experiencias de la vida cotidiana.

◀ ¡A ver si eres capaz de encontrar los sonidos **ce**, **ci** en los nombres de estos animales del cuento!

cebra   ciempiés

ciervo   cigarra

◀ Y ahora, ¡más difícil todavía!
Encuentra los sonidos **ce**, **ci** en los nombres de estos otros animales que no salen en el cuento:

cerdo   cigüeña

gacela   cisne

Objetivos:

Ampliar vocabulario.
Reconocer los sonidos y las grafías **ce**, **ci**.

J
U
E
G
A

con la

(ce, ci)

◀ Intenta contar el cuento de la cebra Jacinta con tus propias palabras.

Puedes empezar así:

La cebra Jacinta va al huerto
y llena su cesta
con cebollas, acelgas, ciruelas…

(Sigue tú.)

Objetivos:

Desarrollar la capacidad de síntesis.
Comprender las lecturas.
Extraer conclusiones.

◀ Dibuja aquí las frutas y hortalizas que la cebra Jacinta lleva en su cesta.

Objetivos:

Desarrollar la memoria visual.
Estimular la creatividad.

Busca las palabras CEREZA, CIRUELA y CEBOLLA en esta sopa de letras.

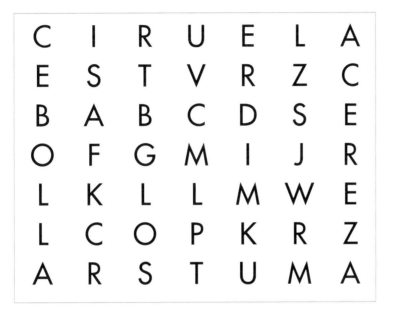

C	I	R	U	E	L	A
E	S	T	V	R	Z	C
B	A	B	C	D	S	E
O	F	G	M	I	J	R
L	K	L	L	M	W	E
L	C	O	P	K	R	Z
A	R	S	T	U	M	A

Objetivos:
Desarrollar la percepción visual.
Ejercitar la atención.
Identificar palabras.

J
U
E
G
A

con la

C

(ce, ci)

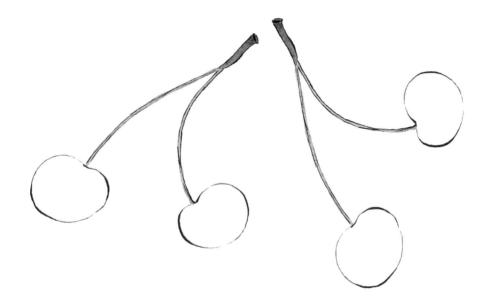

Objetivos:

Manipular materiales y darles forma.
Desarrollar la coordinación visomanual.

◀ Colorea las letras **c** minúscula y **C** mayúscula y luego recórtalas.

Júntalas con las letras **e**, **i** de otros cuentos de la colección para representar los sonidos **ce**, **ci**.

Así podrás ir formando tu propio ZOO DE LAS LETRAS con los cuentos de esta colección.

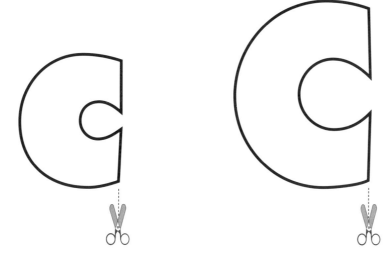

Objetivos:

Reconocer las letras **c**, **C** y combinarlas con la **e** y la **i** para formar los sonidos **ce**, **ci**.
Ejercitar la coordinación visomanual.

J
U
E
G
A

con la

C

(ce, ci)

colección

El zoo de las letras